Perla

y el hada del bosque

WENDY HARMER

Ilustrado por Gypsy Taylor

BEASCOA

Para Shirley, nuestro más preciado Kiwi.

Título original: *Pearlie and the Silver Fern Fairy*
Traducción: Estrella Borrego

© Out of Harms Way Pty Ltd, 2011

© 2012 para la lengua española:
Beascoa, Random House Mondadori, S.A.
Travessera de Gràcia, 47-49. 08021 Barcelona

Primera edición: febrero de 2012

Publicado por primera vez por Random House Australia, 2011

ISBN: 978-84-488-3283-4
Depósito legal: B-909-2012
Impreso por Gráficas'94
Encuadernado por Encuadernaciones Bronco
Impreso en España

Perla el hada del Parque voló a través de largas nubes blancas. Bajo ellas estaba el país de Nueva Zelanda.

A lomos de la mariquita mágica de la reina Esmeralda, Perla vio montañas nevadas, lagos resplandecientes y una exhuberante selva verde.

La mariquita descendió despacio entre árboles altos como torres y posó a Perla sobre el verde musgo de una roca, luego le guiñó un ojo y alzó de nuevo el vuelo. La mañana era húmeda y fría. Perla se echó su cálido abrigo sobre las alas.

—¡Helechos y culantrillos! —exclamó—. Nunca había visto un parque como este.

Perla oyó una voz cantarina que sonaba como un cascabel de plata. Se acercó a la orilla de un riachuelo de fuerte corriente y vio un hada navegando en una canoa hecha con una vaina. El hada llevaba un vestido de plumas.

—¡*Kia ora!* ¡Bienvenida! —saludó a Perla el
hada con una sonrisa—. Sube iremos a remo.

A Perla le pareció curioso que se desplazara en
canoa en lugar de volar, pero subió a la canoa
y se pusieron en marcha.

—Me llamo Omaka —dijo el hada—. En maorí significa "lugar por dónde corre el arroyo".

—¿Eres el hada de este parque? —preguntó Perla.

—¡Āe mārika! ¡Sí, así es! —sonrió Omaka—. Pero la ciudad queda muy lejos de aquí, del bosque húmedo. Este es un parque natural, el más bello y selvático del país.

La canoa se deslizó con la corriente, bordeando las rocas y bajo las espesas ramas. Los helechos desprendían destellos plateados al reflejarse la luz del sol en sus hojas.

Perla pensó que en su vida había visto nada más hermoso.

De pronto el riachuelo se unió a otro cuyas aguas se agitaban con más fuerza. Perla se alarmó. Delante de ellas una cascada caía por una gigantesca pared de roca. La pequeña canoa avanzaba derecha entre los remolinos.

—¡Olas y reolas! —exclamó Perla.

—Agárrate. ¡Rema con fuerza! —gritó Omaka.

La canoa giraba y se balanceaba como si bailara sobre el agua. Con un sordo ¡CHOP! la canoa atravesó la cascada y entró en una cueva llena de lucecitas.

—¡Estrellas y rayos de luna! —dijo Perla.

—Son luciérnagas —sonrió Omaka—. Nos mostrarán el camino hasta mi casa.

Minutos más tarde las hadas estaban sentadas en dos brillantes conchas de nácar en la acogedora cueva de Omaka, sirviéndose una tacita de té de bayas blancas.

—Has llegado en un día muy especial —dijo Omaka—. Esta noche celebraremos una fiesta sorpresa de cumpleaños y podrás conocer a todos mis amigos. Yo tengo que preparar la tarta y repartir las invitaciones.

—Me encantaría ayudarte —dijo Perla.

—¡Ka pai! ¡Genial! —dijo Omaka—. En este bolso he puesto una lista de invitados y el mapa para encontrarlos.

Perla cogió el bolso de lana y se lo echó al hombro.

—¿Y de quién es el cumpleaños? —preguntó.

—De mi amigo el tuátara —dijo Omaka sonriente. Perla no había oído nunca hablar de ese animal—. Hoy hace ciento cincuenta años.

—¡Ciento cincuenta años! —se sorprendió Perla.

—¡Sí! Esas son muchas velas y una tarta enorme. Más vale que empiece ya —dijo Omaka—. Y tú también, Perla. *Mā te wā.* Hasta luego.

Perla montó de nuevo en la canoa y se puso en marcha. Remando entró en calor. Se quitó el abrigo y desplegó sus alas plateadas.

Perla siguió el mapa y se adentró en el interior del frondoso bosque. Ató la canoa a un junco y leyó la primera invitación. Era para «Colin, el kiwi».

—¡Raíces y brotes! ¿Qué es un kiwi? —se preguntó Perla.

Bajó de la canoa y enseguida vio un cuerpo peludo, color marrón, sentado en un hueco entre las raíces de los árboles.

Perla se acercó volando. Dos ojos brillantes la miraban detrás de unos bigotitos rizados que salían de un largo y estrecho pico. ¡Así que un kiwi es un pájaro enorme!

—¿Cómo está usted, Colin? —saludó Perla muy educada—. Le traigo una invitación a una fiesta.

—¡Maravilloso! —trinó Colin muy contento.

—Si vuela hasta allí al atardecer, sería perfecto —dijo Perla.

—Por supuesto, pero no sé volar. Igualmente iré dando un paseo —dijo Colin—. *Tēnā koe.* Muchas gracias.

Perla se quedó pensativa. ¿Un pájaro que no puede volar? Pero no le preguntó qué problema tenía en las alas para no parecer maleducada. Así que le dio las gracias y se marchó.

La siguiente invitación era para «Hoki, el kakapo».

—¡Cielos! Tampoco sé qué es un kakapo —se dijo Perla—. ¿Sería un pez, una rana o una criatura extraña?

En el lugar donde indicaba el mapa, Perla vio una voluminosa criatura de hermosas plumas verdes, roncando bajo un helecho.

¡Así que un kakapo también es un pájaro!

Era incluso más grande que el kiwi. De hecho, era el loro más grande que Perla hubiera visto jamás. Suavemente despertó a Hoki y le dio la invitación.

—Por favor, vuele hasta allí esta tarde si quiere comer tarta —le dijo.

—No se me da bien volar —bostezó Hoki al mismo tiempo que ahuecaba sus plumas—. Pero me encanta la tarta, caminaré sin perder el ritmo y allí nos veremos.

Perla se quedó preocupada. ¿Otro pájaro que no vuela? ¿Y por qué no? Voló más bajo que antes y con mucho cuidado. Aquel lugar del mundo era muy extraño.

A Perla solo le quedaba una invitación por repartir, para «Wanda, el murciélago rabicorto».

—Bueno, al menos sé lo que es un murciélago —se dijo Perla mientras volaba—. Estará colgado bocaabajo de la rama de este árbol.

Pero en las ramas no había ningún murciélago.

Entonces vio que algo se movía entre la hojarasca del suelo. Un hocico pequeño asomó bajo una hoja. Las alas de Perla resplandecieron al bajar en picado.

—¿Wanda? —preguntó Perla—. ¿Eres tú?

La hoja se agitó y debajo apareció un
murciélago pequeñito que daba resoplidos.

—Āna. Yo soy —respondió Wanda.

Perla le dio la invitación.
—Vuela allí cuando el sol se ponga.

—Si no te importa, iré dando un paseo —dijo Wanda.

—¿Por qué? Sí, claro —dijo Perla con amabilidad, aunque empezaba a ponerse un pelín nerviosa. Observó la copa de los árboles. ¿Por qué no había nadie volando?

Perla se puso a correr por el bosque tan deprisa como pudo. No se atrevía a usar sus alas. «Debe haber algo en el cielo que atrapa a cualquier criatura que vuele. ¡Podría comerme!»

La noche caía y tenebrosas sombras invadían el bosque. Perla encontró un hueco bajo las raíces de un árbol y se acurrucó allí dentro. El corazón le latía con fuerza.

—¡Picos y garras! —dijo Perla—. Más vale
que vuelva a casa de Omaka caminando con
mucho cuidado, ¡aun así tardaré una eternidad!
Y. . . ¡brrr! Hace mucho frío —dijo temblorosa
mientras se echaba el abrigo sobre los hombros.

De pronto, frente a Perla, asomó una cabeza enorme con unas púas en la cabeza que daban terror. ¡Dos grandes ojos negros la miraban!

—¡Aaah! —gritó— No me comas. Por favor, no me comas.

Perla buscó su varita y enseguida recordó que la había dejado en la cueva de las luciérnagas.

La bestia de escamas abrió su boca enorme. ¡Seguro que engulliría a Perla de un solo bocado!

Pero entonces la boca enorme sonrió.

—¡Ey, ey! No te asustes, pequeña. Soy el Abuelo Tuátara. ¿Quieres que te acerque a la cueva de Omaka? Hoy es mi cumpleaños y he oído que me harán una tarta.

—¡Eres un lagarto! —exclamó sonriente.

—*¡Nāhea!* ¡Yo no! —aclaró el Abuelo Tuátara—. Soy descendiente de los dinosaurios que habitaron la Tierra hace 200 millones de años. Este es el único lugar del mundo donde hemos sobrevivido. Sube y te contaré algunas historias por el camino. Pero ten cuidado, mi nombre en maorí significa "espalda espinosa".

Perla escaló hasta la grupa, cuidando de no clavarse las púas de la espalda del Abuelo, y se pusieron en marcha. ¡Nadie en el Parque de la Alegría la creería cuando les contara que había montado sobre un dinosaurio!

Mientras caminaban sobre la crujiente hojarasca y se mojaban con las gotitas que caían de los helechos, el Abuelo Tuátara le iba contando viejas historias. A veces le mostraba una flor o una planta diminuta del suelo del bosque.

—Aquí viven muchas criaturas que no saben volar. ¿Por qué, Abuelo? —preguntó Perla.

—Hace muchos años el bosque era un lugar seguro; volar no era necesario, así que muchos animales nunca aprendieron —explicó el Abuelo, avanzando con dificultad sobre sus patas robustas—. Pero desde entonces han cruzado el océano muchas cosas que pueden hacernos daño o incluso comernos. Los humanos han traído animales con colmillos afilados: ratas y gatos, perros y comadrejas, armiños y hurones. No podemos volar para huir de ellos. He visto a tantos amigos desaparecer a lo largo de mi vida —suspiró con tristeza.

Perla estaba callada, pensando en todas las criaturas que vivían amenazadas. ¿Qué pasaría si las hadas también desaparecieran?

—Confiamos en que llegarán tiempos mejores —dijo el Abuelo—. Sé que los niños, los humanos más jóvenes, se preocupan por nosotros y eso es algo bueno.

—Es cierto —asintió Perla.

¡Rā whānau ki a koe!
¡FELIZ CUMPLEAÑOS!

El Abuelo Tuátara paró en medio del camino. Allí, en un claro del bosque, estaban todos sus amigos, Omaka, Colin, Hoki y Wanda, y en medio de ellos, una enorme tarta de cumpleaños con ciento cincuenta velitas.

Perla bajó de un salto de la espalda del Abuelo y se le cayó el abrigo de los hombros.

Fue entonces cuando Omaka se dio cuenta de que Perla tenía dos hermosas alas.

—¡Puedes volar! —gritó.

Perla miró sorprendida a Omaka: ¡No tenía alas!

¿Un hada que no puede volar? Sin duda era una criatura tan excepcional como el resto de las criaturas del bosque.

—¿Puedes ayudarnos a encender las velas de la tarta del Abuelo? —le pidió Omaka a Perla al mismo tiempo que le ofrecía su varita.

—¡Claro que sí! —dijo Perla y, volando veloz alrededor de la tarta, encendió las velas en un abrir y cerrar de ojos.

El Abuelo Tuátara cogió aire y sopló con todas sus fuerzas.

—Tenemos un regalo para ti —dijo Omaka—.
Es un «koru» tallado en jade. Tiene la forma
de una hoja de helecho que se está abriendo y
significa nueva vida y esperanza. Llévala contigo
y te dará fuerza.

—Lo guardaré siempre —dijo
Perla—. Mi esperanza es que
los animales del bosque de
Nueva Zelanda vivan
en paz.

—*Ehara ehara*, así sea
—dijo el Abuelo—.
¡Ahora a por la tarta!